La collection « Vive le vent! »
est dirigée par Michel Lavoie

Max, débusqueur de secrets

Pour Charlotte,
à toi de
découvrir si
le fou du village
est vraiment
dingo !

♡ Roxane

L'auteure

Roxane Turcotte, née en 1952 à Montréal, a été conseillère pédagogique, conçoit du matériel didactique et enseigne le français depuis 1987 à la Commission scolaire de Montréal. Elle sillonne les écoles primaires des différents quartiers scolaires de la CSDM depuis dix ans. Elle a été finaliste en 2006 au prix Bravo de la CSDM pour sa contribution remarquable dans l'exercice de ses fonctions.

Bibliographie

Girafe givrée, Saint-Alphonse-de-Granby, Éditions de la Paix, collection « Envol », *2010.*

Le Chevalier poids-plume, Longueuil, Éditions Trampoline, coll. « Petit roman », 2010.

Zoé et la sorcière, Longueuil, Éditions Trampoline, coll. « Petit Roman », 2009.

Le Vol de la corneille, Québec, Le Loup de Gouttière, coll. « Les Petits Loups », 2006.

Rutabaga et Sibémol, Montréal, Fondation Ste-Justine, 2004.

Une histoire de robe, Montréal, CSDM, 2002.

Roxane Turcotte

Max, débusqueur de secrets

collection VIVE LE VENT !

Catalogage avant publication de Bibliothèque et Archives nationales du Québec et Bibliothèque et Archives Canada

Turcotte, Roxane, 1952-

Max, débusqueur de secrets

(Vive le vent! ; 16)
Pour enfants de 7 à 9 ans.

ISBN 978-2-89537-201-1

I. Péladeau, Éric. II. Titre. III. Collection: Collection Vive le vent!; 16.

PS8639.U726M39 2011 jC843'.6 C2010-942342-9
PS9639.U726M39 2011

Nous remercions le Conseil des Arts du Canada de l'aide accordée à notre programme de publication. Nous reconnaissons l'aide financière du gouvernement du Canada par l'entremise du Fonds du livre du Canada pour nos activités d'édition. Nous remercions également la Société de développement des entreprises culturelles ainsi que la Ville de Gatineau de leur soutien.

Dépôt légal — Bibliothèque et Archives nationales du Québec, 2011
Bibliothèque et Archives Canada, 2011

Révision : Michel Santerre
Correction d'épreuves : Renée Labat
Illustrations intérieures : Éric Péladeau
Mise en pages : Lynne Mackay

Éditions Vents d'Ouest
109, rue Wright, bureau 202
Gatineau (Québec) J8X 2G7
Courriel : info@ventsdouest.ca
Site Internet : www.ventsdouest.ca

Diffusion Canada : PROLOGUE INC.
Téléphone : (450) 434-0306
Télécopieur : (450) 434-2627

Diffusion en France : Distribution du Nouveau Monde (DNM)
Téléphone : 01 43 54 49 02
Télécopieur : 01 43 54 39 15

À tous ceux et celles
qui voient plus loin que le bout de leur nez.

1

Le fou du village

EN SORTANT de l'épicerie, maman et moi croisons Phil. Plusieurs de nos voisins l'appellent le fou du village. Pas ma mère.

— Il est biscornu, dit-elle tout de même.

Je le regarde s'éloigner, pieds nus dans ses sandales. Nous sommes à la fin d'octobre. Je frissonne.

— Qu'est-ce que ça veut dire, biscornu ?

— On le dit d'un esprit irrationnel, un peu égaré.

— Tu es certaine qu'il n'a pas toute sa raison ?

— C'est sûr que Phil est un peu dérangé.

Je l'aide à mettre les sacs de provisions dans le coffre de l'auto tout en réfléchissant.

Pourquoi Phil me fait-il peur ? Parce qu'il fouille dans les poubelles la nuit ? J'éprouve de la pitié pour lui. Il semble ne pas se soucier de ce que les autres pensent de lui. Comment fait-il ? Moi, je détesterais qu'on chuchote dans mon dos.

— Max, tu arrêtes de rêver ? Tu montes ?

Je me rends compte que je suis resté planté les yeux dans le vague. Ma mère, assise au volant, est prête à démarrer la voiture. Si j'en avais le courage, je suivrais Phil. J'essaierais de lui parler… pour voir de plus près sa folie. Au lieu de cela, je vais m'asseoir à côté de maman.

Je me déçois. Moi qui rêve de découvrir les mystères de la vie et les secrets des autres. Je laisse mes craintes me dominer.

Maman est silencieuse. Pense-t-elle, elle aussi, à Phil ? S'il se promène pieds nus dans ses sandales, est-ce parce qu'il ne ressent pas le froid comme nous ? Être dans sa bulle rend-il insensible ? Phil est-il idiot ou tellement intelligent qu'il ne s'embarrasse pas des règles de la société ? Je pense à Einstein et à ses grimaces envers les journalistes. Et à Michael Jackson qui a vécu avec un chimpanzé. Des génies dans leur domaine. Des héros. Et Phil, un idiot? Si je lui parlais, est-ce que je verrais le trouble dans ses yeux? Ou des éclairs d'une intelligence différente?

— Tu m'aides, Max, à rentrer l'épicerie?

Maman a l'air pensif. Elle me sourit. J'aime quand on réfléchit comme ça chacun de notre côté. Ça vaut mieux qu'un étourdissant bavardage. J'attrape le sac le plus lourd.

— Si on se faisait de bonnes grillades, me lance-t-elle, en emportant le reste des provisions.

La faim me ramène vite à des pensées concrètes. Comme celle de préparer des frites au four pour accompagner les grillades. Mes réflexions sur Phil se rangent d'elles-mêmes dans un coin de mon cerveau.

La fête de l'Halloween passée, je reprends mes pratiques de hockey. Cette saison, notre équipe possède tous les atouts pour gagner. Avec deux rencontres par semaine, on va y arriver.

Je n'avais pas pensé au fou du village depuis des jours. En passant devant le parc de la rue Jeanne D'Arc, je l'aperçois. Il se balance comme un gamin. Il est de dos. Je ralentis le pas. J'en profite pour l'observer à la dérobée. Est-ce vrai qu'il garde sa grosse tuque bariolée été comme hiver pour cacher ses cheveux sales ? On murmure au village qu'il ne les lave jamais.

Il a laissé son sac à dos sur un banc, à trois mètres de moi. Je lève

la tête. Phil se balance toujours. Je ne crains rien. En moins de dix pas, son sac est à ma portée. Une partie du contenu gît par terre. Je veux juste l'examiner.

Je comprends pourquoi le sac a été renversé. Des écureuils sont venus se servir parmi les noix qui se trouvaient à l'intérieur. Ils en ont mangé plusieurs sur place. Parmi les écales brisées, un gros bouquin sérieux est tombé face au sol. Si je le retournais pour en lire le titre ?

— Tu viens te balancer ?

Le cœur veut me sortir par la gorge. Le fou du village vient d'engager la conversation avec moi. A-t-il volé jusqu'à ma hauteur ? Je ne l'ai pas entendu venir. J'arrive à me contrôler. Je le fixe dans les yeux. J'y vois une lumière joyeuse. Rare chez les adultes. Quelque chose en moi a envie de lui faire confiance.

Il ramasse son livre et le met vivement dans son sac. Il l'y a glissé sans le retourner. Exactement comme s'il ne voulait pas que j'en voie la couverture. Son geste était maladroit. Il me sourit. Pourtant, une drôle de crainte passe dans son regard.

— Alors, tu viens ? me lance-t-il à nouveau.

— Non, il faut que j'y aille. Ma mère m'attend.

Qu'est-ce qui m'a poussé à lui répondre cela ? La trouille de me faire voir en sa compagnie ? De quoi ai-je peur ? Qu'il me contamine ?

Perplexe, je reprends ma route. Puis, je me mets à réfléchir : le fou du village lit. Sinon, pourquoi trimballerait-il un bouquin ? Et quelle sorte de bouquin ? Pourquoi s'est-il empressé de m'en camoufler le titre ?

De toute façon, qui est ce Phil, apparu depuis quelques années ? Il est vite devenu le fou du village dont on ne sait presque rien. Que faisait-il avant de s'installer ici ? A-t-il l'esprit dérangé à cause d'un accident ? A-t-il seulement vraiment perdu la raison ? J'essaie d'imaginer sa vie. Peut-être a-t-il voulu devenir un clown et que son rêve s'est brisé ? Il faisait pleurer les enfants plutôt que de les faire rire. Peut-être a-t-il conservé de son ancien métier sa tuque bariolée ? Peut-être n'a-t-il jamais fréquenté l'école ? Il ne sait pas lire. Son objet fétiche serait le gros livre que j'ai vu. L'a-t-il trouvé dans les poubelles ? Il l'aurait adopté, comme une sorte de doudou réconfortante. En tout cas, c'est sûr qu'il ne ressemble à personne. Hors des sentiers battus, ce Phil !

En fin d'après-midi, je racle les feuilles sur notre terrain. Le fou du village passe à vélo. Coïncidence ou éprouve-t-il de la curiosité envers moi ? Il m'envoie la main. Je le salue à mon tour. Au même moment, un vortex soulève et emporte sa fameuse tuque ! Ses longs cheveux libérés flottent comme ceux d'un ange en vol. Ils sont plus propres que les miens ! Je laisse tomber mon râteau. Les rumeurs au sujet de sa chevelure sont donc erronées. Je cours en informer maman.

— Il a peut-être décidé de les laver, réplique ma mère. Cela ne veut pas dire qu'il n'a plus l'esprit toc toc.

Je ne réponds rien. Je constate que ma maman a une idée fixe sur Phil. En plus, je sais qu'elle ne croit pas aux mystères de la vie. Elle a une pensée pragmatique, comme elle dit.

Moi, ma décision est prise. J'emporte mes biscuits préférés dans ma chambre. J'appelle Matilde, ma meilleure amie.

— Que fais-tu ce soir vers minuit?

Silence au bout de la ligne. J'ai réussi mon effet. Elle réplique enfin.

— À minuit! Je dors. Et toi aussi, j'espère, parce qu'on a de l'école demain.

— J'ai mieux à faire. M'accompagnerais-tu dans une petite balade nocturne?

— Une balade? Où ça? me demande-t-elle, curieuse comme toujours.

— Pas loin. Dans le village.

Je lui raconte ma rencontre avec Phil. Je lui fais part de mes questions à son sujet. Et de mes doutes. Phil n'est peut-être pas celui qu'on croit. Elle demeure incrédule. Comme ma mère, Matilde voit les choses simplement. Mais sa curiosité l'emporte. Elle m'accompagnera. Cette nuit, nous irons espionner « le fou du village » pour découvrir ses secrets.

2

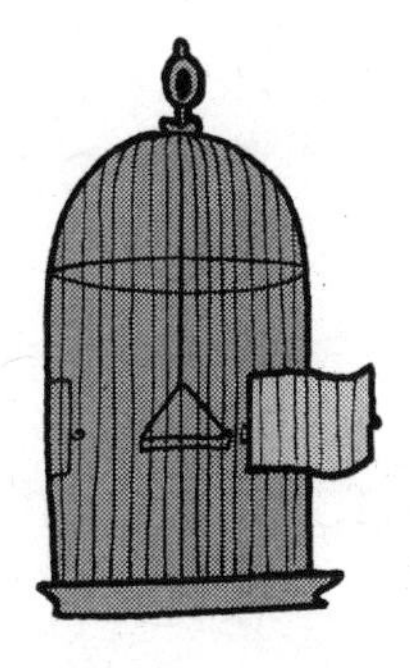

L'étrange distribution

À VINGT-TROIS HEURES TRENTE, mes parents ronflent depuis belle lurette. Pour m'aider à garder l'œil ouvert, je finis de manger mes biscuits aux pépites de chocolat noir. Il paraît que le cacao donne de l'énergie ipso facto. Ça fonctionne parce que j'ai des envies de sauter en bungee. Heureusement, ma chambre est au rez-de-chaussée. Je me glisse par ma fenêtre. Je vais frapper trois coups à celle de Matilde, dont la maison est située à trois portes de la nôtre. Elle est prête.

— Aide-moi, Max!

Je lui tends le bras. Elle s'y agrippe, puis pose les pieds par terre. Elle remonte son foulard. La nuit est froide. Elle est vêtue de noir tel que convenu. Ainsi, nous serons moins visibles.

— On va passer par la rue voisine. À la hauteur de chez Phil, on va se tapir dans les buissons et attendre qu'il sorte.

— Comment on va faire pour le suivre? me demande ma complice de nuit.

— On va filer le long des maisons par derrière.

— Si on rencontre une clôture?

— On passera par-dessus.

— Si on se blesse ?

— Matilde, si tu es venue pour m'embêter avec ce genre de commentaires, tu aurais dû rester dans ton lit.

Je change de ton.

— Es-tu certaine que Phil sort de chez lui à minuit et demi ?

— D'après ma mère et le boulanger, c'est à cette heure précise qu'il attaque sa tournée des poubelles. Il fait pitié d'être aussi dérangé selon papa.

— Moi, je dis qu'il ne l'est pas tant que ça.

— Max, quelqu'un de normal ne se lève pas la nuit pour fouiller dans les poubelles de ses voisins. À moins qu'il ait faim. Selon mon père, ce n'est pas le cas. Il reçoit sûrement de l'aide du gouvernement. Et n'oublie pas que plusieurs villageois lui offrent des petits plats.

— Justement. Il fouille dans les poubelles pour une autre raison. Une raison secrète, connue de lui seul, que je compte bien découvrir cette nuit.

— Max, arrête d'imaginer des mystères.

— Chut ! Ça y est. Il sort.

Phil tire une voiturette. Il siffle un air joyeux. Il se dirige d'abord chez les Duguay. Muni d'une lampe de poche, il extirpe de leur grosse poubelle un objet assez volumineux. Nous sommes trop loin pour en distinguer la forme précise. Au bout d'une heure, il a passé en revue tous les rebuts de la rue. Matilde a les orteils congelés. Moi, je suis gelé de la tête aux pieds.

— Je rentre, me dit-elle. Ce que j'ai vu ne m'a certainement pas convaincue que Phil agit normalement.

— Nous le savions qu'il fouillait dans les poubelles. La question est de savoir pourquoi il le fait.

— Parce qu'il est maboul, Max, comme tout le monde le dit. Il n'y a que toi à penser le contraire.

— Si tu as accepté de venir l'espionner, c'est que tu croyais découvrir quelque chose, non ?

La lune éclaire suffisamment Matilde pour que je la voie rougir.

— Je… je suis venue parce que… je ne déteste pas être en ta présence, me dit-elle.

Sa voix était à peine audible. Je sens que je rougis aussi. Je lui prends la main sans dire un mot. Je l'accompagne jusque chez elle.

Avant d'aller me coucher, je décide de retourner rôder autour du 24 rue des Saules. Phil n'a pas éteint le fanal à sa porte. L'intérieur est toujours illuminé. Que fait-il? Admire-t-il sa collection de déchets? Matilde a peut-être raison. Je cherche à découvrir le mystère, là où il n'y a que la plate réalité. Suis-je anormal?

Tout à coup, la porte s'ouvre. Je reprends confiance. Je frissonne à l'idée qu'un événement extraordinaire va peut-être se passer.

Le noctambule porte un sac de sport. Où va-t-il s'entraîner à une heure pareille? Il se dirige chez Mlle Élise, celle qui s'occupe de l'entretien de l'église. Cheveux gris,

jupes et chandails gris assortis. Ce n'est pas un rayon de soleil. Pourtant, quand elle sourit…

Que dépose-t-il sous la marquise à sa porte ? Il traverse la rue. Même scénario chez les Tremblay. Ainsi de suite chez M. Massicotte et chez Mme Dubois. Il sifflote le même air que tout à l'heure. Il exécute des pas de danse au milieu de la rue. Il s'arrête, contemple les étoiles un long moment, puis il rentre chez lui et éteint la lumière.

A-t-il perçu ma présence ? Est-il en train de m'espionner à une de ses fenêtres ? Ou a-t-il simplement gagné son lit ? À cette pensée, je me mets à bailler. J'inspire l'air froid à pleins poumons. Je saute sur place pour me réchauffer. Impossible de rentrer maintenant, le plus important reste à découvrir. Qu'est-ce que Phil dépose aux portes de ses voisins pendant leur sommeil ?

Je découvre des revues de mode usagées… pour Mlle Élise ? Des souliers de marche usés pour les Tremblay. Une cage d'oiseaux rouillée chez M. Massicotte. Et une tablette de papier à écrire un peu gondolée pour Mme Fournier.

Que signifie tout cela ? Et pourquoi les habitants du village gardent-ils secrète cette étrange distribution de cadeaux ?

Quand je me glisse enfin sous ma couette, je suis frigorifié, mais mon cerveau est en ébullition.

3

Un indice

SIX HEURES ET DEMIE du matin. J'ai un mal fou à me tirer du lit. Ça fait deux fois que maman m'appelle de la cuisine. Avec elle, il n'y a jamais de troisième fois. Elle vient plutôt tirer sur mes couvertures. Comme je ne porte pas de pyjama, c'est super-gênant.

Je me lève. Mes yeux se referment tout seuls, comme s'ils étaient attirés vers le bas. Je m'habille et me rends à la salle de bain. Je me plaque une débarbouillette d'eau froide sur le visage. Il faut que j'aie l'air réveillé pour éviter d'être questionné.

— Un chocolat chaud, Max?

Si j'étais plus vieux, je prendrais un double espresso pour me donner un coup de fouet comme dit ma mère. En attendant, le chocolat fera l'affaire.

Il pleut à boire debout.

— Je vais te reconduire en auto ce matin, mon grand. Aucun parapluie ne résisterait au vent qu'il fait dehors.

Dans la rue Principale, nous apercevons Phil.

— Tu vois bien, Max, qu'il est un brin déraisonnable. Personne d'autre que lui ne se balade par un temps pareil. En plus, il parle tout seul. Ce n'est pas tout à fait normal, me dit maman.

Je le regarde traverser au feu de circulation. Ses lèvres remuent sous l'averse. À qui parle-t-il ? Aux gouttes de pluie ? Au livre dans son sac ? Je devrais me rendre à l'évidence : Phil est peut-être fou après tout. Pourquoi chercher midi à quatorze heures ?

À la sortie de l'école, le soleil réchauffe la fin d'après-midi. Je rentre à pied. Matilde était absente aujourd'hui. J'espère qu'elle n'est pas malade à cause de moi. Je m'en voudrais. Je pense à hier soir. Pourquoi est-ce seulement à certaines portes que Phil a déposé des objets ? Comme s'il poursuivait un dessein. Ce matin, sous l'averse, c'est vrai qu'il conversait avec le vent. Ça ne prouve rien. Maman parle toute seule parfois quand elle fait du rangement. Est-elle dérangée pour autant ?

Je sais que Phil sort de chez lui tous les jours à 16 heures pile. Sa destination : la chocolaterie du village. Je décide de le suivre. Je marche à sa hauteur sur le trottoir opposé.

Pas de doute, ses lèvres remuent. Déterminé à entendre ce qu'il raconte, je traverse pour marcher derrière lui. Il se méfie. Aucun son ne me parvient. Il entre dans la boutique. Une idée me vient. Phil déguste toujours son chocolat quotidien assis sur la galerie de bois de la chocolaterie. Je me faufile en dessous. S'il parle, je ne manquerai pas un mot de ce qu'il dira.

Le revoilà. Il marche au-dessus de ma tête. Je l'observe entre les planches. Il s'assoit, balance ses jambes. J'entends sa voix. Il ne parle pas, il chante! Il termine son chocolat, se lève en continuant sa chanson. Il reprend sa route. Je suis heureux. Je l'écoute jusqu'à ce qu'il bifurque au coin de la rue. Il chante vraiment bien. Pourquoi laisse-t-il croire à tout le monde qu'il parle seul comme s'il était lunatique? Je me dis que trop de bizarreries entourent Phil pour que je ne poursuive pas ma quête de vérité. J'ai hâte de voir Matilde pour partager avec elle mes découvertes.

4

Chacun son secret

MATILDE A DORMI une partie de la journée. Ses parents lui ont accordé un congé d'école. Elle faisait un peu de fièvre. Elle n'a rien dit de notre excursion de la nuit dernière. Elle écoute avec attention ce que j'ai appris sur Phil.

— Y aurait-il un lien entre les objets distribués et les petites visites rendues à Phil? me demande-t-elle. Que viennent faire des villageois chez le fou du village le samedi ? s'interroge-t-elle.

— Matilde, je pense qu'il faut fouiller de ce côté-là. On découvrira peut-être pourquoi ils gardent le silence sur les étranges cadeaux que Phil leur distribue.

Je poursuis avec enthousiasme :

— Mlle Élise est toujours prête à apporter de la soupe à ce pauvre Phil. Que vient-elle faire au juste ? Et Monsieur Massicotte qui lui répare tantôt une porte qui grince, tantôt un tuyau qui fuit. Que vient-il chercher exactement ?

Nous nous sommes tellement excités que nous oublions une chose importante : pour entendre les conversations, il faut entrer chez Phil. C'est samedi demain.

LIVRES
LIVRES
PSYC
PHILOSOPH

Comment va-t-on s'y prendre ? me demande Matilde.

Elle trouve tout à coup son idée idiote.

— On va retirer le soupirail sous sa galerie arrière et entrer dans le sous-sol, lui dis-je. C'est le seul moyen d'apprendre qui est le fou du village.

Nous passons la soirée chez elle à regarder un film romantique. C'est elle qui y tenait. Moi, j'aurais préféré un truc avec plus d'action. Je m'endors, la tête sur son épaule. À la fin, elle me réveille. Je n'ai jamais eu aussi chaud de ma vie. Je pars de chez elle les jambes molles comme de la guenille.

Le lendemain, à midi, nous nous faufilons chez Phil. Nous retirons le soupirail sans grande difficulté. Le propriétaire ne craint pas les voleurs, on dirait.

C'est à l'intérieur que ça se corse. Il faut sauter dans le sous-sol sans faire de bruit et sans se casser une jambe.

Le caoutchouc de mes semelles feutre le contact au sol. Mes jambes souples absorbent le choc. Je tends les bras vers Matilde. Plutôt vers le derrière de Matilde. C'est gênant. Je la pose par terre. Elle se dépoussière, le temps que mes yeux s'habituent à la demi-obscurité. Je fais un rapide tour d'horizon. Je repère une cachette sous l'escalier, derrière des cartons. Sur une étagère, j'aperçois des piles de livres. J'en vois aussi dans des boîtes entrouvertes. Ou Phil les sauve du recyclage sans les lire ou bien le fou du village est un rat de bibliothèque bien camouflé.

Matilde me tire par le bas de mon t-shirt.

— Qu'est-ce que tu attends ? me chuchote-t-elle. On se cache ou non ?

— J'aimerais aller feuilleter quelques-uns de ces bouquins, mais ce n'est pas vraiment le moment. Je me résous à entraîner Matilde sous l'escalier.

Notre attente n'est pas longue. Le premier visiteur sonne à midi trente. Nous distinguons suffisamment les voix pour suivre l'essentiel de la conversation.

— C'est un potage de cresson.

Nous reconnaissons la voix de Mlle Élise.

— C'est réjouissant, le vert, lui dit Phil, tout en la remerciant. Pourquoi ne portez-vous jamais cette couleur ? ajoute-t-il.

— Vous croyez que ça m'irait ?

— Parfaitement ! D'ailleurs, plusieurs couleurs mettraient votre teint en valeur. Les vêtements colorés ne sont pas réservés qu'aux mannequins, vous savez !

Y a-t-il entre eux une idylle ? Phil s'intéresse-t-il à Mlle Élise ? Matilde dessine un cœur dans l'air. Même pensée.

— Se vêtir pour plaire aux hommes, ce n'est pas convenable, réplique la vieille fille.

— Mlle Élise, regardez la nature. La trouvez-vous belle ?

— Oui.

— Est-ce mal?

— Non.

— Préférez-vous demeurer comme un ciel de pluie le reste de votre vie?

Phil est-il un philosophe poète? En tout cas, ses paroles n'ont rien d'insensé.

— Tous ces magazines, que j'ai trouvés à ma porte…

— Les avez-vous feuilletés?

— Oui.

— Et?

— Ça m'a rendue gaie.

— Mlle Élise, supposons que vous portiez aujourd'hui une jupe verte assortie d'un chandail rouge. Ne serait-ce pas comme m'offrir des fleurs en automne?

— Vous croyez?

Je devine la pensée de Phil : amener Mlle Élise à sortir de sa grisaille. Voilà la raison pour laquelle il laisse des magazines de mode à sa porte. Il est tout sauf maboul, ce gars ! Matilde le découvre sous un jour nouveau. Je le vois à son air ébahi.

La sonnette de l'entrée retentit de nouveau. Matilde sursaute.

— Je me sauve, dit la vieille fille à son hôte.

— À la semaine prochaine. Merci pour le potage et vive les couleurs ! lui lance-t-il.

Des objets tintent contre du métal. Seraient-ce les outils dans le coffre de M. Massicotte ?

— Salut, Phil. Comment ça va ?

— Très bien et vous ?

— Oh ! moi ! comme d'habitude depuis la mort de ma Francine. Elle me manque, si vous saviez. Je me sens plus seul qu'un cactus dans le désert.

— Oui. Je sais, lui dit Phil. Votre rossignol est-il revenu ?

— Vous savez bien qu'il s'est enfui après le décès de Francine. Il ne reviendra pas !

La voix de M. Massicotte a monté d'un cran. On jurerait qu'il est en colère.

— J'avais jeté la cage de Titi. Ne vous avisez pas de la remettre encore une fois à ma porte. Je vous aime bien, mais ne dépassez pas les bornes. Titi est disparu à jamais !

— Ne vous fâchez pas, Monsieur Massicotte. Vous n'avez pas fait exprès de laisser Titi s'échapper...

Matilde et moi entendons sangloter. Nous tendons l'oreille. La voix brisée de M. Massicotte nous parvient par bribes. Un jour que sa femme lui manquait terriblement, il a ouvert la fenêtre du salon. Titi s'en est approché.

— Je l'ai regardé s'enfuir, Phil. Vous comprenez ?

— Vous ne supportiez pas qu'il soit vivant alors que votre femme, elle…

— Chaque jour, poursuit le veuf, j'en éprouve du remords. Francine adorait cet oiseau. D'où elle est, elle doit m'en vouloir. L'automne avance. Titi va sûrement mourir de froid.

M. Massicotte pleure à nouveau.

— Vous pourriez peut-être inviter un rejeton de Titi à venir vivre avec vous ?

— Un rejeton de Titi ? Qu'est-ce que vous me chantez là, Phil ?

— Rappelez-vous. Votre femme avait emmené Titi pour le faire accoupler avec le rossignol de Mme Fortier.

— J'avais oublié ça. Vous êtes loin d'être idiot, Phil. C'est pour ça la cage à ma porte ?

Soudain, un bruit métallique interrompt les voix au rez-de-chaussée. M. Massicotte vient d'échapper son coffre sur le plancher. Un autre bruit, sourd cette fois, résonne derrière moi. Matilde a sursauté. Elle vient de se cogner la tête sur une marche de l'escalier.

Je la regarde, furieux. C'est le silence là-haut. Après dix interminables secondes, la conversation reprend.

— Bon, je vais vous laisser manger, Phil. J'ai assez abusé de votre temps. Vous n'avez rien à faire réparer ?

— Non. Mais ça me fait toujours plaisir de vous accueillir.

Nous entendons la porte d'entrée se refermer. Phil va-t-il réchauffer son potage au cresson ou bien descendre voir ce qui hante son sous-sol ?

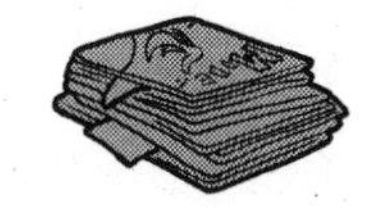

5

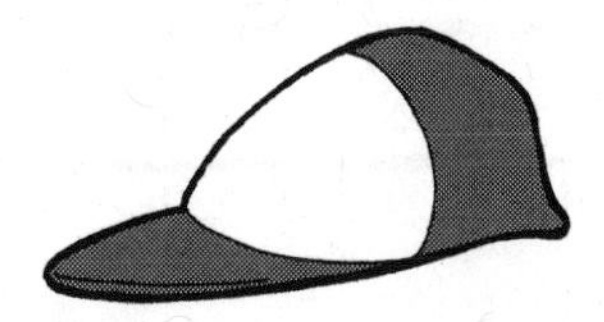

Le vrai Phil

LE VOILÀ ! Il n'y a pas de contremarche. Nous voyons descendre Phil. Ses souliers déplacent la poussière accumulée. Je me pince le nez pour ne pas éternuer. Malheur ! Le soupirail. Nous ne l'avons pas refermé. Il va s'en apercevoir. J'aimerais disparaître avec Matilde.

Le nez me chatouille. On dirait qu'une colonie de fourmis s'y est engouffrée. Phil s'arrête au milieu de la pièce qu'il balaie de 360 degrés. Il s'immobilise devant le soupirail. Aïe ! Je m'enfouis les narines au creux du repli de mon bras. Je ne peux plus me retenir. J'explose. Un éternuement monstre révèle notre cachette. Nous aurait-il trouvés autrement ? Probablement.

Il est d'abord étonné de notre présence. Je perçois ensuite de la crainte dans ses yeux. La même que la fois où il a dissimulé le titre du livre dans le parc. Il fait le pitre. Croit-il que je serai dupe ?

Il nous invite à monter à l'étage. Je gage qu'il va nous interroger. En faisant mine de rien, bien sûr.

— Cherchiez-vous des souris ? Parce que j'en ai. Des tas. Elles savent faire des sauts périlleux. Je les entraîne, la nuit. Ce sont mes amies.

— Phil, lui dit Matilde, arrêtez de jouer. Nous savons que vous n'avez rien d'un dompteur de rats.

Il se retourne pour qu'on ne voie pas son visage. Il doit réfléchir à comment se sortir du pétrin. J'interviens.

— Nous savons que vous jouez au Père Noël, la nuit, et que c'est loin d'être idiot. Nous avons tout entendu des conversations avec vos deux visiteurs. Qui êtes-vous vraiment Phil ?

Il s'assoit dans le fauteuil derrière lui. Les bras croisés derrière la nuque. Il nous regarde longuement avant de répondre. Nous restons plantés devant lui comme deux coupables devant leur juge.

— Asseyez-vous, nous ordonne-t-il au bout d'un moment. Tu es un petit malin, Max. Je l'ai su dès que je t'ai vu. Tu vois au-delà des apparences. C'est une grande qualité. Que plusieurs vont t'envier, tu sais.

— Pourquoi laissez-vous croire à tous que vous êtes…

— Le fou du village, poursuit-il.

— Oui. Pourquoi faites-vous ça ?

Il nous offre un sourire lumineux. Ses yeux brillent d'une joie paisible.

— Je vais tout vous raconter. Vous le méritez. Vous avez raison. Je ne suis pas fou. Je vois les petites misères des gens qui m'entourent. Comme toi, Max, je devine les secrets qu'on essaie de me cacher. Dès mon arrivée dans ce village, j'ai perçu que plusieurs des villageois se rendent malheureux avec des broutilles. Je peux les aider. J'ai fait cinq ans d'université pour y arriver.

— Vous êtes médecin? lui demande Matilde.

— Médecin de l'âme, si tu veux. Je suis psychologue.

— Les livres dans le sous-sol…

— Oui, Max. Ce sont des documents de psychologie.

— Pourquoi ne recevez-vous pas les gens dans un bureau?

— Je l'ai fait, mon garçon, pendant des années. Puis, j'ai hérité de suffisamment d'argent pour réaliser mon rêve: vivre à la campagne. Cultiver un jardin. Lire. Cuisiner. Vivre, quoi! Puis, j'ai rencontré Mlle Élise, M. Massicotte, Mme Fournier. Et tous les autres qui assombrissent leur joie de vivre. Je voulais les aider, mais ils fuient les gens de mon métier.

— Consulter un psychologue, n'est-ce pas révéler aux autres qu'on a des problèmes ? Un jour, le boulanger m'a regardé comme si j'étais timbré.

— À cause de votre tuque bariolée ? lui demande Matilde.

— Oui, sûrement. Aussi parce que je porte les cheveux longs en chignon, que je prends mon temps, que je ne travaille pas. Les gens jugent beaucoup d'après les apparences, dit-il en me faisant un clin d'œil complice. Alors, il m'est venu cette idée : jouer le jeu. Prétendre être un peu fêlé. Pas trop. Juste assez pour qu'ils se confient à moi sans gêne.

— Vous croyez que vous allez réussir à convaincre Mlle Élise de s'habiller comme une cover-girl ? demande Matilde.

— Peut-être pas. Mais elle peut sortir de son cocon pour devenir un papillon. Je crois pouvoir y arriver. Mais pour d'autres, j'ai besoin de vous.

— Comment ça ? que je lui dis.

— D'abord, en gardant le silence sur mon secret… ensuite, si vous le voulez, en m'aidant à rendre ce monde meilleur.

Matilde me regarde. Ses yeux brillent. L'altruisme de Phil l'a conquise. Je lui souris.

— Qu'est-ce qu'on peut faire, Phil, pour participer à votre mission ?

— M'offrir votre imagination. Vous connaissez Mme Fournier ?

— Oui, c'est la dame très timide qui ne sort pratiquement jamais de chez elle.

— Saviez-vous qu'elle écrit de magnifiques contes pour enfants ? Elle ne les lit qu'à moi, le fou du village. Comme cela, elle ne craint pas qu'on se moque d'elle. J'essaie de la persuader d'envoyer ses textes à un éditeur.

— C'est pour cela que vous laissez des albums illustrés à sa porte ?

— Oui, Max. Mais ça ne donne rien. Elle refuse d'envoyer ses textes. Qu'est-ce que, vous, vous feriez pour qu'elle se décide à les poster ?

— Je pourrais lui laisser savoir que j'adore me faire lire des histoires, répond Matilde. Essayer de gagner sa confiance. Puis l'encourager à rendre ses textes publics.

— Moi, je pourrais lui demander conseil pour une rédaction de conte ? La convaincre de venir en lire un à l'école.

— Super ! nous dit Phil, le sourire jusqu'aux oreilles. Je suis ravi d'avoir de l'aide.

Dans les semaines qui ont suivi notre découverte du vrai Phil, Matilde et moi avons mis nos projets en branle. Patiemment, petit à petit.

Finalement, un matin, Mme Fournier est venue lire son meilleur texte dans ma classe. Les élèves l'ont adoré. Elle rayonnait tellement qu'on a reçu une dose d'énergie pour la semaine. Je suis sûr qu'elle osera l'envoyer à une maison d'édition.

Matilde et moi sommes devenus très proches de Phil. Nous partageons souvent avec lui notre joie à rendre le monde meilleur en secret.

Je ne sais pas encore quel métier je ferai plus tard. Peut-être psychologue, qui sait? Chose certaine, je continuerai à analyser les mystères de la vie. Quand j'étais petit, il paraît que je n'arrêtais pas de demander pourquoi? Eh bien, pourquoi ne pas continuer à le faire? Si c'est pour découvrir des personnes aussi merveilleuses que le fou du village…

Déambulant rue Principale, je m'aperçois que je chantonne. Quelqu'un pourrait croire que je parle tout seul. Une rumeur pourrait se mettre à courir.

— Vous savez, le jeune Max, celui qui croit aux choses cachées de la vie… il n'est pas comme tout le monde.

Eh bien, je crois que je laisserai courir cette rumeur.

Table

Dans la même collection

1. *Des étoiles sur le lac*
   Michel Lavoie
2. *Les Pépins de Fabio*
   Sonia K. Laflamme
3. *La Disparition de Gaston*
   Nadya Larouche
4. *Fou rire extrême*
   Jocelyn Boisvert
5. *Louka cent peurs*
   Sophie Rondeau
6. *La Poupée de Florence*
   Sonia K. Laflamme
7. *Drôle d'oiseau !*
   Nadya Larouche
8. *La Plus Belle de l'école*
   Marie-Claude Denys
9. *Violette à bicyclette*
   Sophie Rondeau
10. *La Clôture*
    Michel Lavoie

11. *Un géant d'un mètre vingt-trois*
    Nadya Larouche
12. *Boris au pays des clowns*
    Jocelyn Boisvert
13. *Mon voisin le pirate*
    Marie-Claude Denys
14. *Un spectacle pour Morgane*
    Julie Pellerin
15. *Charlotte et Alexis. Une dangereuse escapade*
    Maryse Cloutier
16. *Max, débusqueur de secrets*
    Roxanne Turcotte